la princesa y el guisante

the princess and the pea

Published by Scholastic Inc., 90 Old Sherman Turnpike, Danbury, Connecticut 06816,
by arrangement with Combel Editorial.

ISBN 0-545-02969-4

12 11 10 9 8 7 6 5 4 3 2 1 6 7 8 9 10 11/0

Printed in the U.S.A.

First Scholastic printing, May 2007

la princesa y el guisante

the princess and the pea

Adaptación/*Adaptation* Darice Bailer

Ilustraciones/*Illustrations* Petra Steinmeyer

Traducción/*Translation* Madelca Domínguez

SCHOLASTIC INC.

New York Toronto London Auckland Sydney
Mexico City New Delhi Hong Kong Buenos Aires

Había una vez un príncipe que quería casarse con una princesa de verdad.

—Tendrá que ser muy sensible para que se preocupe por su pueblo y sea una buena reina —dijo el príncipe.

El rey y la reina estaban de acuerdo, y el príncipe se marchó a buscar a la princesa.

Once upon a time, there was a Prince who wanted to marry a real princess.

"She has to be very delicate," the Prince said, "because someone that sensitive will care about people and be a good queen."

The King and Queen agreed, and the Prince set out to find her.

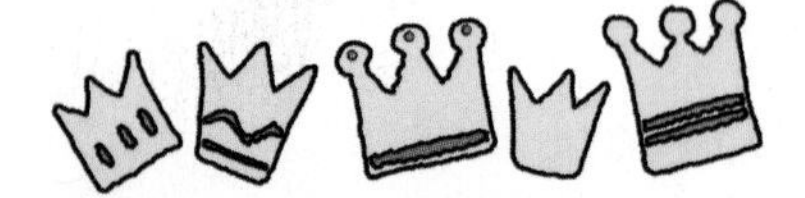

El príncipe viajó por todo el mundo y conoció a muchas princesas; pero no encontró a aquella con la que quería casarse. Estaba buscando a alguien que tuviese un corazón bondadoso y fuera muy especial.

The Prince scoured the world. Princesses paraded before him. After meeting every one, the Prince still had not found a bride. He was looking for someone extra special with a caring heart.

Finalmente, después de buscar por muchos años, el príncipe retornó a casa muy triste sin su princesa.

"¿Encontraré alguna vez a una princesa que me ame y me ayude a gobernar mi reino?", se preguntaba.

Finally, after years of searching, the Prince returned home without anyone beside him. His lips curled down and his eyes were sad.

Will I ever find someone to love and help me rule this land? *he wondered.*

Una tarde, hubo una terrible tormenta. Los relámpagos alumbraban el cielo, no dejaba de tronar y la lluvia caía sin cesar.

De pronto, la familia real escuchó que tocaban a la puerta.

"¿Quién podrá ser?", se preguntó el rey y salió a abrir la puerta.

Then, one evening, there was a terrible thunderstorm. Lighting flashed, thunder roared, and rain poured down.

Suddenly, the royal family heard a knock at the door.

Who can that be? *the King wondered and went to answer it.*

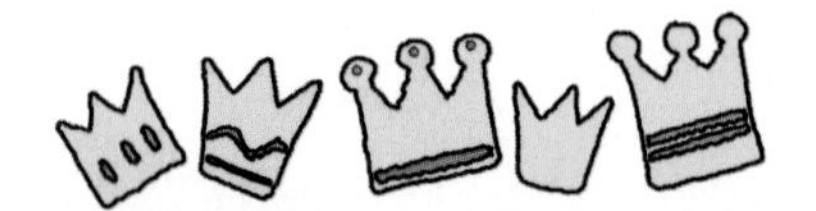

En la entrada del palacio había una joven empapada por la lluvia. El agua le corría por el pelo, las mejillas y la ropa.

—Me enteré de que estaban buscando a una princesa —dijo la joven—. Yo soy la princesa que buscan. ¿Puedo pasar?

There, on the royal doorstep, stood a young woman dripping with rain. Water dribbled down her hair, her cheeks, and her clothes.

"I heard that you were looking for a princess," the woman said, "and that is me. May I come in?"

"¿Acaso puede ser esta andrajosa empapada en agua una princesa? —pensó la reina—. ¡No lo parece!"

La reina hizo pasar a la princesa y decidió ponerla a prueba esa misma noche. La reina sabía que una princesa de verdad solo podría dormir en una cama muy suave o amanecería con el cuerpo adolorido.

This wet rag is a princess? *thought the Queen.* She doesn't look like one!

The Queen welcomed the Princess inside—but decided to test her that very night. The Queen knew that a real princess could only sleep on the softest of beds, otherwise her delicate frame would ache.

La astuta reina escondió un guisante bajo veinte colchones y veinte edredones en la cama de la princesa. Sin saber que dormiría encima de un guisante, la princesa se acostó a dormir.

The smart Queen hid one tiny green pea beneath twenty mattresses and twenty quilts on the Princess's bed. Unaware that she would be sleeping on a pea, the Princess tucked herself in for the night.

A la mañana siguiente, la princesa por poco se queda dormida durante el desayuno.

—¡No pude dormir durante toda la noche! —se quejó la princesa—. No sé lo que le pasa a esa cama, pero a pesar de tantos colchones y edredones, he amanecido muy cansada.

The next morning at breakfast, the Princess's head nearly fell into her bowl of oatmeal.

"I couldn't sleep at all!" the Princess complained. "I don't know what was wrong with your bed, but even with all that padding my back is black and blue!"

En ese momento, la reina se dio cuenta de que había encontrado la esposa perfecta para su hijo.

—Esta es la princesa que andabas buscando —le dijo la reina a su hijo—. Escondí un guisante en su cama y solo una princesa de verdad lo habría notado.

At that moment, the Queen realized that she had found the perfect wife for her son.

"This is the princess you've been looking for," the Queen told her son. "I hid a pea in her bed, and only a true princess could feel it beneath all those mattresses and comforters!"

—¡La hemos encontrado! —dijo la reina—. ¡Ha llegado el momento de casarse!

"We found her!" the Queen cried. "Now it's time to throw a royal wedding!"

La alegría llenó el rostro de la princesa. Con el corazón encendido, el príncipe condujo a la princesa al altar. La pareja vivió muy feliz y la princesa nunca más volvió a dormir sobre un guisante.

Joy lit up the Prince's face like never before. With a happy heart, the Prince escorted his Princess down the aisle at the royal wedding. The couple lived happily ever after, and the Princess never slept on a pea again.

TE KERO!!!